공광규 시
여린 풀과 벌레와 곤충을 밟지 않으려고 맨발로 산행하는 일상을 소중히 여기며 시를 쓰고 있습니다.
1960년 서울 돈암동에서 태어나 충청남도 청양에서 자랐습니다. 동국대학교 국어국문학과를 졸업하고, 단국대학교 대학원 문예창작학과에서 박사학위를 받았습니다.
1986년 《동서문학》 신인문학상에 당선된 이후 신라문학대상, 윤동주상 문학대상, 동국문학상, 현대불교문학상, 김만중문학상, 고양행주문학상, 디카시작품상, 신석정문학상, 녹색문학상을 받았습니다.
자연 친화적이고 호방한 시 〈담장을 허물다〉는 2013년 시인과 평론가들이 뽑은 가장 좋은 시로 선정되었습니다.
시집으로 《대학일기》, 《마른 잎 다시 살아나》, 《지독한 불륜》, 《소주병》, 《말똥 한 덩이》, 《담장을 허물다》, 《파주에게》, 《서사시 금강산》, 《서사시 동해》와 산문집 《맑은 슬픔》이 있으며, 어린이를 위한 책으로 《성철 스님은 내 친구》, 《마음 동자》, 《윤동주》, 《구름》, 《흰 눈》, 《담장을 허물다》, 《할머니의 지청구》, 《엄마 사슴》, 《청양장》, 《별국》 등이 있습니다.

안태형 그림
자기 자신을 비우는 하늘을 닮고 싶습니다.
뭘 살까? 어떻게 아껴 먹을까? 고민 그만하고요.
지금까지 만든 책으로 《메뚜기 탈출 사건》, 《내 팬티 어딨어?》, 《악어 엄마》, 《또르르 당나귀》, 《의자가 부릉부릉》, 《왕의 건강을 지켜라》 등이 있습니다.

안선재(앤서니 수사, Brother Anthony of Taizé) 번역
영국에서 태어나 옥스퍼드대학교에서 학위를 받고, 1994년에 우리나라로 귀화했으며, 대한민국문학상 번역부문 대상, 대산문학상 번역상, 한국펜클럽 번역상을 수상했고, 2008년 옥관문화훈장을 받았습니다.
고은 시인의 《만인보*Ten Thousand Lives*》등 30권 이상의 한국 시와 소설의 영문 번역서를 냈습니다.

하늘 그릇
Sky Bowl

1판 1쇄 | 2023년 6월 26일

시 | 공광규
그림 | 안태형
번역 | 안선재(Brother Anthony of Taizé)

펴낸이 | 박현진
펴낸곳 | (주)풀과바람
주소 | 경기도 파주시 회동길 329(서패동, 파주출판도시)
전화 | 031) 955-9655~6
팩스 | 031) 955-9657
출판등록 | 2000년 4월 24일 제20-328호
블로그 | blog.naver.com/grassandwind
이메일 | grassandwind@hanmail.net

편집 | 이영란
디자인 | 박기준
마케팅 | 이승민

값 14,000원
ISBN 978-89-8389-155-6 77810

※ 잘못 만들어진 책은 구입처에서 바꾸어 드립니다.

제품명 하늘 그릇 | 제조자명 (주)풀과바람 | 제조국명 대한민국
전화번호 031)955-9655~6 | 주소 경기도 파주시 회동길 329
제조년월 2023년 6월 26일 | 사용 연령 4세 이상
KC마크는 이 제품이 공통안전기준에 적합하였음을 의미합니다.

⚠ 주의
어린이가 책 모서리에 다치지 않게 주의하세요.

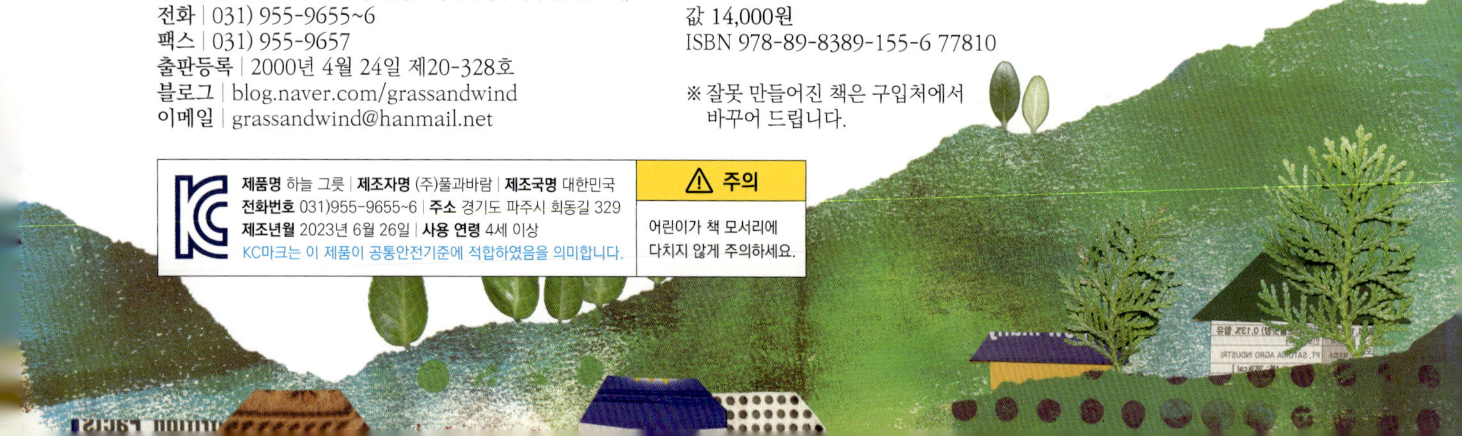

하늘 그릇

시 공광규 · 그림 안태형

하늘은

큰 그릇이다

Sugars
15 %
About 12 servings
Serving size
170
% Daily Value*
4 %
0 %
Fat 3g

해를 담고

달을 담고

별과 은하수를 담고

구름을 담는다

비를 담았다가 쏟아 내고

바람을

눈을 담았다가 비운다

비행기를

MODEL 170
1005

까치를

잠자리를

빨간 노을을
담았다가
바다에 붓고

밤에는
잠이 없는 할아버지 붓글씨 쓰시라고
깜깜한 먹물을 가득 담았다가

새벽부터 비운다

우리 아기 눈에
아침 담으라고.

Sky Bowl

The sky is a big bowl.

It holds the sun

It holds the moon

It holds the stars and the Milky Way

It holds the clouds

It holds the rain and pours it out

It holds the wind

It holds the snow and empties it out

It holds the airplane

It holds the magpie

It holds the dragonfly

It holds the red sunset
and pours it into the sea

It holds the black ink and bids the
sleepless grandfather to do
calligraphy at night

empties it out at dawn

and bids our baby fill its eyes with morning light.